新編華語注音符號課本

主編：林國樑

漢字瑰寶 文化傳承

本會職司海外僑民教育工作，為協助僑社傳承中華文化，長年來研編正體字教材，作為海外華裔青年學習華語文及僑校推廣華文教育之用。「正體字」歷經長久發展，形、音、義多已定型，大體符合六書構字原則，且約八成左右為「形聲」字，其「部首表義」及「聲旁表音」的特性，有助於學習者輕鬆習得漢字，收到事半功倍之效果。正體字肩負五千年中華文化傳承與傳播的任務，現存古籍均使用正體字印刷，習得正體字，不僅可跨越橫向空間障礙，更可突破縱向時空壁壘，悠遊於不同時空背景之華語文世界，領略蘊藏其中的豐沛人文思想與智慧結晶；另正體字結構勻稱、形體優美，可發展出千姿百態的書體風範，成為一門獨特的藝術樣式，可謂既含學理，又兼藝術。

根據我國中央研究院院士鄭錦全博士研究指出，一般人對於一種語言所能掌握運用的詞語數量最多可達八千字；而中國大陸發表的簡化字僅2,235字，包含482個獨立的簡化字(如：笔/筆、车/車、风/風等)，以及由簡化偏旁(共14個，如讠/言 、饣/食 、纟/糸等)、獨立簡化字所衍生之1,753個字(如轧/軋、识/識、讽/諷、绉/縐等)，涵蓋面有限，且簡化字又「臆造新體」，破壞漢字形音義合一的特質，學者李鎏教授即指出簡化字形成「偏旁簡化不能全部類推」、「符號取代偏旁並無定則」、「個體簡化字偏旁不能類推」、「同音兼代紊亂漢字系統」、「既已簡化又有例外」、「任意省簡破壞字構之合理性」等學術研究與文字運用上的亂象，不利「古文字學」、「沿革地理學」、「歷史學」的研究，以及造成文字運用上簡繁轉換的混亂等影響。

雖然目前全球使用正體字與簡化字人口比例消長，海外華語文學習者在實際應用上需與世界接軌，但無論從提高學習效率、認識文化歷史、學習傳統文化、厚植文化底蘊、創造文化創造力、連結東亞文明、介入全球文化前景或者是一種美學欣賞的角度，正體字的學習都是非常有意義，且有其重要性與必要性。本會盼藉由「鞏固正體字，對照簡化字」之方式，以發行正簡對照教材之務實作法，順應海外教學趨勢，鼓勵先學正體字，再習兼識正簡，以正體字為載體，繼續創造最大的文化價值。

Chinese Characters – Our Cultural Treasure

One of the main missions of the Overseas Community Affairs Council (OCAC) of the Republic of China (Taiwan) is to promote the continuing education of the Chinese language among our compatriot communities abroad. To pass on this important cultural heritage, the OCAC has long been publishing educational materials printed in traditional characters, in lieu of simplified characters, so as to facilitate the younger generation to learn and appreciate the artistic beauty and innate values of the Chinese language.

Traditional characters have evolved alongside Chinese long history, and as a result, the characters have developed into logograms through shapes, pronunciation and meaning, which closely conform to the traditional Six Principles of Character (pictograph, ideograph, compound ideograph, phono-semantic compound, phonetic loan character and derivative cognate). Approximatively 80% of Chinese characters are phono-semantic compounds, also known as radical-phonetic characters, created by combining radicals on one side and phonetics on the other. Knowledge of these facts makes the learning of Chinese characters much easier, and is just half the battle!

Traditional Chinese characters have been in use for 5,000 years. Ancient classics and historical documents available nowadays are written or printed in traditional characters. Therefore, learning traditional characters can break through the limitations of time, travel through eras without the boundaries of words, as well as comprehend the treasure of civilization imbued with abundant human thoughts and wisdom. Additionally, a variety of calligraphy styles, both symmetric and aesthetic, help shape traditional characters into a unique and scholarly art.

Dr. Chin-chuan Cheng, member of the Academia Sinica, has pointed out in his research that the maximum number of words an average person may acquaint in a given language is about eight thousand. The simplified characters promulgated in Mainland China cover merely a total of 2,235 characters, including 482 independently simplified ones and 1,753 derived from simplified radicals and independently simplified ones. These limited number of characters, created without solid origin, have lost the traditional picto-phono-semantic traits sine qua non to Chinese characters.

Furthermore, another linguist, Professor Xian Li, has pointed out the limit of the simplified characters: "simplified radicals cannot be deduced and applied to all," "symbols replacing radicals have no established rules," "independently simplified radicals cannot be deduced," "the use of homophonic characters in a different contexts complicates the whole character system," "exceptions always found whenever simplification rules are applied," and "arbitrary simplifications destroy the logic of Chinese characters."

The intricate implications of learning simplified Chinese characters result in an inevitable imbroglio of academic research and linguistic application, jeopardizing related sciences such as paleography, historical geography and historiography.

Due to current practical need and global trend, the proportion of traditional characters users has considerably declined compared to that of simplified characters users. Yet learning traditional characters is nevertheless meaningful, important and necessary, if taken into account the following perspectives: pedagogical efficiency, cultural creativity, better understanding of Chinese traditional culture and history, cultural links to East Asian civilizations, involvement in a global cultural outlook, and an aesthetic appreciation of inherent beauty of Chinese characters.

It is our hope that by consolidating the learning of traditional characters, while providing simultaneously a comparison table scoping simplified characters, we can pragmatically provide useful teaching methodology to the overseas communities. By encouraging the study of traditional characters as a vector, and then comparing them with simplified characters in textbooks, we are convinced that this approach will create the ideal environment for the transmission of Chinese culture abroad, where both types of characters are currently prevalent.

序ㄒㄩˋ 言ㄧㄢˊ

僑民教育在僑務工作中扮演著關鍵性的角色，海外僑教推展攸關文化扎根與傳承工作，也是維繫僑社發展的礎石，更是促使僑胞認同臺灣，支持中華民國發展的動力。中華文化淵遠流長，我國長期對海外僑民教育之重視，不僅有助於文化傳承與發揚，更是代表政府重視僑胞服務之工作，藉由推展海外僑民教育，讓僑胞擁有與國內民眾相類似之教育資源，使旅居海外僑胞不論距離遠近均能感受到政府積極照顧之用心。

本會多年來邀集國內外專家開發了一系列適合各學齡階段的教材，不但涵蓋一般問候語至一般日常生活所需，並導入家庭、學校與人際互動所需運用之詞彙，透過生活化、自然之情境，使海外幼兒、兒童及青少年均能循序漸進的增進語文能力，在教材的編撰及選材上，亦特別納入

序ㄒㄩˋ言ㄧㄢˊ

展現傳統生活智慧與多元化的寓言故事、成語故事及華人民俗節慶等題材，寓優良文化及品格教育於其中，使語文教育兼負傳承文化內涵之使命。

本會所出版的教材，皆延請知名學者參與編纂，為與時俱進，亦經歷多次重修，力求以最新、最完整的面貌呈現，我們除了對本套教材編輯委員表達最深的感謝外，也同時對站在海外第一線教學的華語教師們致上最高的敬意，期盼各界齊心同力，使海外僑教工作與華語文教育更上一層樓。

僑務委員會

編輯要旨

一、本書依據民國八十二年九月教育部公布的國民小學國語課程標準暨僑居地文化背景之需要編輯。

二、本冊供小學一年級第一學期第一週至第七週，作為說話及注音符號教學之用。

三、本冊配合兒童心理學、生活需要、及日常用語，編成十四課教材，每課先設計說話教材，再從說話教材中，摘要編成注音教材。

四、本冊各課分為三個部分：一是說話教學用的圖畫；一是課文，一是從課文

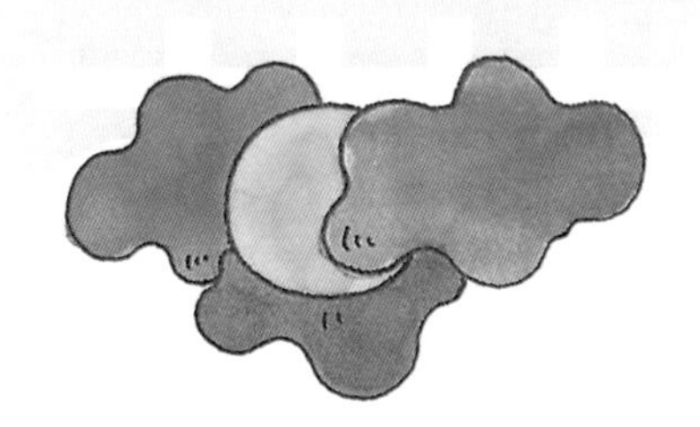

編輯要旨

中分析出來的符號、拼音練習的教材，及已學習的注音符號。課文中分析出來的聲符，排列在上方；韻符和拼音練習的教材，排列在中央；已學習的注音符號，排列在下方，其中紅色的是剛學過的符號，供作複習之用。

五、本冊依注音符號綜合法編輯，教學時，先認語句，進而辨認語詞、單字，再辨認各個符號的音和形，最後練習拼音。

六、本冊十四課，每兩課編有練習教材，複習已學過的注音符號，使其熟練。

七、本書另編有習作簿，以便配合教學活動，供學生練習之用。

※本書如有疏漏之處，請各校教師提供意見，俾作修訂時參考。

目錄

目錄

ㄉㄧˋ ㄧ ㄎㄜˋ　ㄎㄢˋ ㄊㄨˊ ㄕㄨㄛ ㄏㄨㄚˋ

ㄉㄧˋ ㄧ ㄎㄜˋ ㄎㄢˋ ㄊㄨˊ ㄕㄨㄛ ㄏㄨㄚˋ

ㄉㄧˋ ㄧ ㄎㄜˋ　ㄅㄚˋ ˙ㄅㄚ ㄇㄚ ˙ㄇㄚ ㄗㄠˇ

ㄅㄚˋ　˙ㄅㄚ　ㄗㄠˇ

ㄇㄚ　˙ㄇㄚ　ㄗㄠˇ

ㄉㄧˋ ㄧ ㄎㄜˋ ㄅㄚˋ ˙ㄅㄚ ㄇㄚ ˙ㄇㄚ ㄗㄠˇ

ㄅ ㄗ ㄇ			
ㄚ	ㄅㄚ	ㄇㄚ	ㄗㄚ
ㄠ	ㄅㄠ	ㄇㄠ	ㄗㄠ
ㄅ ㄇ ㄗ ㄚ ㄠ			

ㄉㄧˋ ㄦˋ ㄎㄜˋ　ㄎㄢˋ ㄊㄨˊ ㄕㄨㄛ ㄏㄨㄚˋ

ㄉㄧˋ ㄦˋ ㄎㄜˋ　ㄎㄢˋ ㄊㄨˊ ㄕㄨㄛ ㄏㄨㄚˋ

ㄉㄧˋ ㄦˋ ㄎㄜˋ　ㄗㄠˇ ㄑㄧˇ ㄗㄨㄛˋ ㄕㄜˊ ˙ㄇㄜ

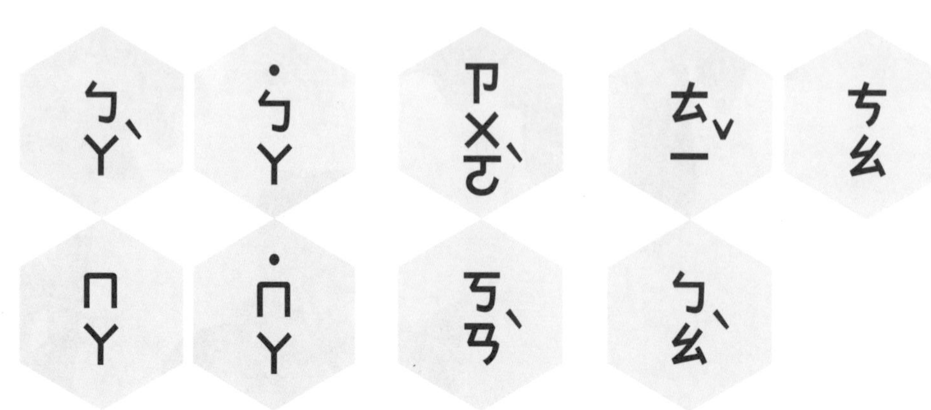

ㄉㄧˋ ㄦˋ ㄎㄜˋ　ㄗㄠˇ ㄑㄧˇ ㄗㄨㄛˋ ㄕㄜˊ ˙ㄇㄜ

ㄊ　ㄘ　ㄎ				
ㄧ	ㄊㄧ	ㄅㄧ	ㄇㄧ	
ㄢ	ㄊㄢ	ㄅㄢ	ㄘㄢ	ㄎㄢ
ㄅ　ㄇ　ㄊ　ㄎ　ㄗ　ㄘ ㄧ　ㄚ　ㄠ　ㄢ				

練(ㄌㄧㄢˋ)習(ㄒㄧˊ)一(ㄧ)

拼(ㄆㄧㄣ)音(ㄧㄣ)

ㄚ	ㄅㄚ	ㄇㄚ	ㄊㄚ	ㄎㄚ
ㄚˋ	ㄅㄚˋ	ㄇㄚˋ	ㄊㄚˋ	ㄎㄚˋ
ㄚˇ	ㄅㄚˇ	ㄇㄚˇ	ㄊㄚˇ	ㄎㄚˇ
ㄢ	ㄅㄢ		ㄗㄢ	ㄘㄢ
ㄢˋ	ㄅㄢˋ	ㄇㄢˋ	ㄗㄢˋ	ㄘㄢˋ
ㄢˇ	ㄅㄢˇ	ㄇㄢˇ	ㄗㄢˇ	ㄘㄢˇ
ㄅ	ㄅㄚ	ㄅㄧ		
ㄇ	ㄇㄚ	ㄇㄧ		
ㄊ	ㄊㄚ	ㄊㄧ		
ㄅ	ㄅㄚˋ	ㄅㄧˋ		
ㄇ	ㄇㄚˋ	ㄇㄧˋ		
ㄊ	ㄊㄚˋ	ㄊㄧˋ		
ㄅ	ㄅㄚˇ	ㄅㄧˇ		
ㄇ	ㄇㄚˇ	ㄇㄧˇ		
ㄊ	ㄊㄚˇ	ㄊㄧˇ		

練ㄌㄧㄢˋ 習ㄒㄧˊ 一ㄧ

ㄉㄨˊ	ㄧˋ	ㄉㄨˊ
ㄅㄚˋ	˙ㄅㄚ	ㄗㄠˇ
ㄇㄚ	˙ㄇㄚ	ㄗㄠˇ
ㄊㄧˇ	ㄘㄠ	
ㄎㄢˋ	ㄅㄠˋ	
ㄗㄠˇ	ㄘㄠ	

ㄓㄠˋ	ㄧㄤˋ	ㄒㄧㄝˇ
ㄅㄚˋ	˙ㄅㄚ	ㄗㄠˇ

ㄉㄧˋ ㄙㄢ ㄎㄜˋ　ㄎㄢˋ ㄊㄨˊ ㄕㄨㄛ ㄏㄨㄚˋ

ㄉㄧˋ ㄙㄢ ㄎㄜˋ　ㄎㄢˋ ㄊㄨˊ ㄕㄨㄛ ㄏㄨㄚˋ

ㄉㄧˋ ㄙㄢ ㄎㄜˋ　ㄔㄨㄟ ㄌㄚˇ ˙ㄅㄚ

ㄍㄜ ˙ㄍㄜ ㄔㄨㄟ ㄌㄚˇ ˙ㄅㄚ

ㄉㄧ ㄉㄧ ㄉㄚ

ㄉㄧ ㄉㄧ ㄉㄚ

ㄉㄧˋ ㄙㄢ ㄎㄜˋ ㄔㄨㄟ ㄌㄚˇ ˙ㄅㄚ

	ㄍ ㄌ ㄉ			
ㄜ	ㄍㄜ			
ㄠ	ㄍㄠ	ㄌㄠ	ㄉㄠ	ㄊㄠ
ㄢ	ㄍㄢ	ㄘㄢ	ㄉㄢ	ㄊㄢ

ㄅ ㄇ ㄉ ㄊ ㄌ ㄍ ㄎ ㄗ ㄘ

ㄧ ㄚ ㄜ ㄠ ㄢ

ㄉㄧˋ ㄙˋ ㄎㄜˋ　ㄎㄢˋ ㄊㄨˊ ㄕㄨㄛ ㄏㄨㄚˋ

ㄉㄧˋ ㄙˋ ㄎㄜˋ ㄎㄢˋ ㄊㄨˊ ㄕㄨㄛ ㄏㄨㄚˋ

ㄉㄧˋ ㄙˋ ㄎㄜˋ　ㄔㄤˋ ㄍㄜ ㄊㄧㄠˋ ㄨˇ

ㄉㄧˋ　˙ㄉㄧ　ㄔㄤˋ　ㄍㄜ

ㄇㄟˋ　˙ㄇㄟ　ㄊㄧㄠˋ　ㄨˇ

ㄉㄧˋ ㄙˋ ㄎㄜˋ　ㄔㄤˋ ㄍㄜ ㄊㄧㄠˋ ㄨˇ

ㄔ				
ㄟ	ㄅㄟ	ㄌㄟ		
ㄤ	ㄉㄤ	ㄊㄤ	ㄔㄤ	ㄗㄤ
ㄨ	ㄉㄨ	ㄊㄨ	ㄔㄨ	ㄗㄨ

ㄅ ㄇ ㄉ ㄊ ㄌ ㄍ ㄎ ㄔ ㄗ ㄘ

ㄧ ㄨ ㄚ ㄜ ㄟ ㄠ ㄢ ㄤ

練習二

拼音

ㄟ	ㄅㄟˇ	ㄌㄟˇ	ㄇㄟˇ
ㄟˋ	ㄅㄟˋ	ㄌㄟˋ	ㄇㄟˋ
ㄜˇ	ㄍㄜˇ	ㄎㄜˇ	ㄔㄜˇ
ㄜˋ	ㄍㄜˋ	ㄎㄜˋ	ㄔㄜˋ
ㄨˇ	ㄔㄨˇ	ㄗㄨˇ	ㄍㄨˇ
ㄨˋ	ㄔㄨˋ		ㄍㄨˋ
ㄍ	ㄍㄨ	ㄍㄢ	ㄍㄤ
ㄉ	ㄉㄨ	ㄉㄢ	ㄉㄤ
ㄔ	ㄔㄨ	ㄔㄢ	ㄔㄤ
ㄍ	ㄍㄨˋ	ㄍㄢˋ	ㄍㄤˋ
ㄌ	ㄌㄨˋ	ㄌㄢˋ	ㄌㄤˋ
ㄔ	ㄔㄨˋ	ㄔㄢˋ	ㄔㄤˋ
ㄍ	ㄍㄨˇ	ㄍㄢˇ	ㄍㄤˇ
ㄌ	ㄌㄨˇ	ㄌㄢˇ	ㄌㄤˇ
ㄔ	ㄔㄨˇ	ㄔㄢˇ	ㄔㄤˇ

練習二

ㄉㄨˊ ㄧˋ ㄉㄨˊ			
ㄍㄜ	˙ㄍㄜ		
ㄉㄧˋ	˙ㄉㄧ		
ㄇㄟˋ	˙ㄇㄟ		
ㄌㄚˇ	˙ㄅㄚ		
ㄍㄜ	˙ㄍㄜ	ㄎㄢˋ	ㄅㄠˋ
ㄉㄧˋ	˙ㄉㄧ	ㄊㄧˇ	ㄘㄠ

ㄓㄠˋ ㄧㄤˋ ㄒㄧㄝˇ			
ㄍㄜ	˙ㄍㄜ		

ㄉㄧˋ ㄨˇ ㄎㄜˋ　ㄎㄢˋ ㄊㄨˊ ㄕㄨㄛ ㄏㄨㄚˋ

ㄉㄧˋ ㄨˇ ㄎㄜˋ　ㄎㄢˋ ㄊㄨˊ ㄕㄨㄛ ㄏㄨㄚˋ

ㄉㄧˋ ㄨˇ ㄎㄜˋ ㄊㄧㄠˋ ㄕㄥˊ ㄅㄧˇ ㄙㄞˋ

ㄊㄧㄠˋ ㄕㄥˊ ㄅㄧˇ ㄙㄞˋ

ㄨㄛˇ ㄊㄧㄠˋ ㄨˇ ㄒㄧㄚˋ

ㄋㄧˇ ㄧㄝˇ ㄊㄧㄠˋ ㄨˇ ㄒㄧㄚˋ

ㄉㄧˋ ㄨˇ ㄎㄜˋ　ㄊㄧㄠˋ ㄕㄥˊ ㄅㄧˇ ㄙㄞˋ

ㄕ ㄙ ㄒ ㄋ			
ㄢ	ㄕㄢ	ㄙㄢ	ㄋㄢ
ㄤ	ㄕㄤ	ㄙㄤ	ㄗㄤ
ㄚ	ㄕㄚ	ㄙㄚ	
ㄅ ㄇ ㄉ ㄊ ㄋ ㄌ ㄍ ㄎ ㄒ ㄔ ㄕ ㄗ ㄘ ㄙ ㄧ ㄨ ㄚ ㄜ ㄟ ㄠ ㄢ ㄤ			

ㄉㄧˋ ㄌㄧㄡˋ ㄎㄜˋ　ㄎㄢˋ ㄊㄨˊ ㄕㄨㄛ ㄏㄨㄚˋ

ㄉㄧˋ ㄌㄧㄡˋ ㄎㄜˋ　ㄎㄢˋ ㄊㄨˊ ㄕㄨㄛ ㄏㄨㄚˋ

ㄉㄧˋ ㄌㄧㄡˋ ㄎㄜˋ　ㄒㄧㄠˇ ㄏㄡˊ ˙ㄗ

ㄒㄧㄠˇ ㄏㄡˊ ˙ㄗ

ㄗㄞˋ ㄕㄥˊ ˙ㄗ ㄕㄤˋ

ㄗㄡˇ ㄌㄞˊ ㄗㄡˇ ㄑㄩˋ

ㄏㄣˇ ㄏㄠˇ ㄨㄢˊ

ㄉㄧˋ ㄌㄧㄡˋ ㄎㄜˋ　ㄒㄧㄠˇ ㄏㄡˊ ˙ㄗ

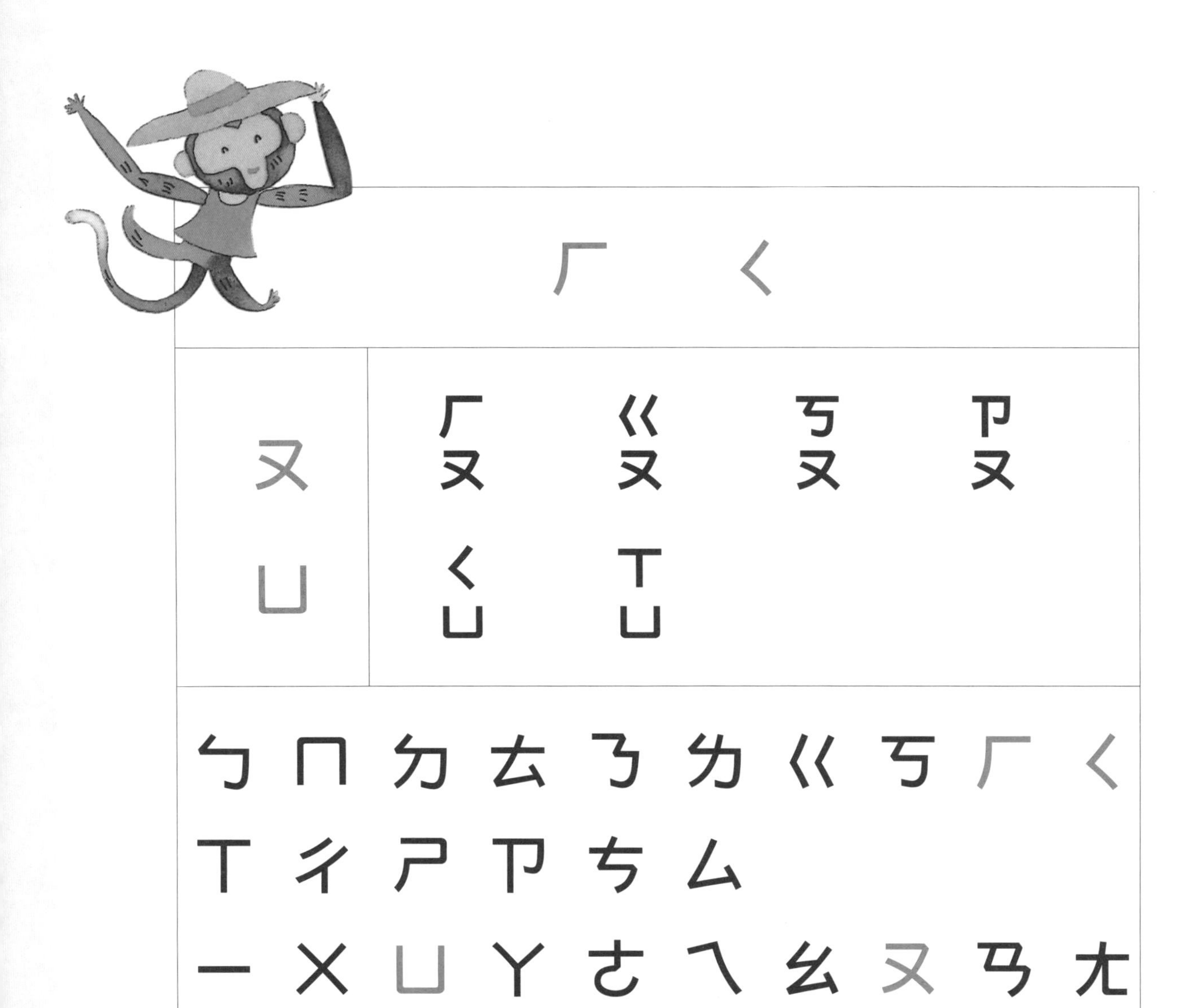

ㄏ　ㄑ	
ㄡ ㄩ	ㄏㄡ　ㄍㄡ　ㄎㄡ　ㄗㄡ ㄑㄩ　ㄒㄩ
ㄅ ㄇ ㄉ ㄊ ㄋ ㄌ ㄍ ㄎ ㄏ ㄑ ㄒ ㄔ ㄕ ㄗ ㄘ ㄙ ㄧ ㄨ ㄩ ㄚ ㄜ ㄟ ㄠ ㄡ ㄢ ㄤ	

練ㄌㄧㄢˋ習ㄒㄧˊ三ㄙㄢ

拼ㄆㄧㄣ音ㄧㄣ

ㄩˋ	ㄑㄩˋ	ㄒㄩˋ	
ㄩˇ	ㄋㄩˇ	ㄑㄩˇ	ㄒㄩˇ
ㄡˋ	ㄙㄡˋ	ㄗㄡˋ	ㄏㄡˋ
ㄡˇ	ㄙㄡˇ	ㄗㄡˇ	ㄏㄡˇ
ㄤˋ	ㄕㄤˋ	ㄙㄤˋ	ㄎㄤˋ
ㄤˇ	ㄕㄤˇ	ㄙㄤˇ	ㄎㄤˇ
ㄏ	ㄏㄡ	ㄏㄠ	
ㄙ	ㄙㄡ	ㄙㄠ	
ㄕ	ㄕㄡ	ㄕㄠ	
ㄏ	ㄏㄡˋ	ㄏㄠˋ	
ㄙ	ㄙㄡˋ	ㄙㄠˋ	
ㄕ	ㄕㄡˋ	ㄕㄠˋ	
ㄏ	ㄏㄡˇ	ㄏㄠˇ	
ㄙ	ㄙㄡˇ	ㄙㄠˇ	
ㄕ	ㄕㄡˇ	ㄕㄠˇ	

練ㄌㄧㄢˋ習ㄒㄧˊ三ㄙㄢ

ㄉㄨˊ	ㄧˋ	ㄉㄨˊ
ㄅㄧˇ	ㄧˋ	ㄅㄧˇ
ㄗㄡˇ	ㄧˋ	ㄗㄡˇ
ㄅㄧˇ	ㄅㄧˇ	ㄎㄢˋ
ㄕㄨˇ	ㄕㄨˇ	ㄎㄢˋ
ㄔㄤˋ	ㄔㄤˋ	ㄍㄜ
ㄎㄢˋ	ㄎㄢˋ	ㄕㄨ

ㄓㄠˋ	ㄧㄤˋ	ㄒㄧㄝˇ
ㄅㄧˇ	ㄧˋ	ㄅㄧˇ

ㄉㄧˋ ㄑㄧ ㄎㄜˋ　ㄎㄢˋ ㄊㄨˊ ㄕㄨㄛ ㄏㄨㄚˋ

ㄉㄧˋ ㄑㄧ ㄎㄜˋ　ㄎㄢˋ ㄊㄨˊ ㄕㄨㄛ ㄏㄨㄚˋ

ㄉㄧˋ ㄑㄧ ㄎㄜˋ ㄒㄩㄝˊ ㄆㄞ ㄓㄠˋ

ㄉㄚˋ ㄐㄧㄚ ㄌㄞˊ ㄒㄩㄝˊ ㄆㄞ ㄓㄠˋ

ㄨㄛˇ ㄆㄞ ˙ㄉㄜ ㄕˋ ㄧˋ ㄓ ㄐㄧ

ㄋㄧˇ ㄆㄞ ˙ㄉㄜ ㄕˋ ㄌㄧㄤˇ ㄓ ㄧㄚ

ㄉㄧˋ ㄑㄧ ㄎㄜˋ ㄒㄩㄝˊ ㄆㄞ ㄓㄠˋ

	ㄆ	ㄓ	ㄐ	
ㄞ	ㄆㄞ	ㄓㄞ	ㄔㄞ	ㄕㄞ
ㄧ	ㄧㄚ	ㄧㄤ	ㄧㄠ	ㄧㄡ
ㄨ	ㄨㄚ	ㄨㄤ	ㄨㄢ	ㄨㄟ
ㄩ	ㄐㄩ	ㄑㄩ	ㄒㄩ	

ㄅ ㄆ ㄇ ㄉ ㄊ ㄋ ㄌ ㄍ ㄎ ㄏ
ㄐ ㄑ ㄒ ㄓ ㄔ ㄕ ㄗ ㄘ ㄙ
ㄧ ㄨ ㄩ ㄚ ㄜ ㄞ ㄟ ㄠ ㄡ ㄢ
ㄤ

ㄉㄧˋ ㄅㄚ ㄎㄜˋ　ㄎㄢˋ ㄊㄨˊ ㄗㄨㄛ ㄏㄨㄚˋ

ㄉㄧˋ ㄅㄚ ㄎㄜˋ　ㄎㄢˋ ㄊㄨˊ ㄗㄨㄛ ㄏㄨㄚˋ

ㄉㄧˋ ㄅㄚ ㄎㄜˋ　ㄇㄨˋ ㄊㄡˊ ㄖㄣˊ

ㄧ　ㄦˋ　ㄙㄢ

ㄙㄢ　˙ㄍㄜ　ㄖㄣˊ

ㄕㄜˊ　˙ㄇㄜ　ㄖㄣˊ

ㄇㄨˋ　ㄊㄡˊ　ㄖㄣˊ

ㄉㄧˋ ㄅㄚˊ ㄎㄜˋ ㄇㄨˋ ㄊㄡˊ ㄖㄣˊ

<table>
<tr><td colspan="2">ㄖ</td></tr>
<tr><td>ㄣˊ
ㄦˋ
ㄡˊ</td><td>ㄖㄣˊ ㄔㄣˊ ㄕㄣˊ ㄘㄣˊ
ㄦˋ ㄦˋ
ㄖㄡˊ ㄔㄡˊ ㄕㄡˊ ㄓㄡˊ</td></tr>
<tr><td colspan="2">ㄅ ㄆ ㄇ ㄉ ㄊ ㄋ ㄌ ㄍ ㄎ ㄏ
ㄐ ㄑ ㄒ ㄓ ㄔ ㄕ ㄖ ㄗ ㄘ ㄙ
ㄧ ㄨ ㄩ ㄚ ㄜ ㄞ ㄟ ㄠ ㄡ ㄢ
ㄣ ㄤ ㄦ</td></tr>
</table>

練(ㄌㄧㄢˋ)習(ㄒㄧˊ)四(ㄙˋ)

拼(ㄆㄧㄣ)音(ㄧㄣ)

ㄞ	ㄆㄞ	ㄏㄞ	ㄘㄞ	ㄅㄞ	
ㄞˊ	ㄆㄞˊ	ㄏㄞˊ	ㄘㄞˊ	ㄅㄞˊ	
ㄣ	ㄆㄣ	ㄍㄣ	ㄘㄣ	ㄇㄣ	
ㄣˊ	ㄆㄣˊ	ㄍㄣˊ	ㄘㄣˊ	ㄇㄣˊ	
ㄧ	ㄐㄧ	ㄑㄧ	ㄒㄧ	ㄌㄧ	
ㄧˊ	ㄐㄧˊ	ㄑㄧˊ	ㄒㄧˊ	ㄌㄧˊ	
ㄆ	ㄆㄠ	ㄆㄡ	ㄆㄨ		
ㄓ	ㄓㄠ	ㄓㄡ	ㄓㄨ		
ㄆ	ㄆㄠˊ	ㄆㄡˊ	ㄆㄨˊ		
ㄓ	ㄓㄠˊ	ㄓㄡˊ	ㄓㄨˊ		
ㄖ	ㄖㄠˊ	ㄖㄡˊ	ㄖㄨˊ		
ㄐ	ㄐㄧˊ	ㄐㄩˊ			
ㄑ	ㄑㄧˊ	ㄑㄩˊ			
ㄒ	ㄒㄧˊ	ㄒㄩˊ			

練ㄌㄧㄢˋ 習ㄒㄧˊ 四ㄙˋ

一. ㄉㄨˊ ㄧˋ ㄉㄨˊ >>>

ㄙㄢ	ㄍㄜ˙	ㄖㄣˊ
ㄙˋ	ㄅㄣˇ	ㄕㄨ
ㄨˇ	ㄓ	ㄐㄧ

二. ㄎㄢˋ ㄊㄨˊ ㄏㄨㄟˊ ㄉㄚˊ ㄨㄣˋ ㄊㄧˊ

>>> | ㄓㄜˋ | ㄦ | ㄧㄡˇ | ㄐㄧˇ | ㄍㄜ˙ | ㄖㄣˊ |

| ㄓㄜˋ | ㄦ | ㄧㄡˇ | ㄐㄧˇ | ㄅㄣˇ | ㄕㄨ | >>>

>>> | ㄓㄜˋ | ㄦ | ㄧㄡˇ | ㄐㄧˇ | ㄓ | ㄐㄧ |

ㄉㄧˋ ㄐㄧㄡˇ ㄎㄜˋ　ㄎㄢˋ ㄊㄨˊ ㄕㄨㄛ ㄏㄨㄚˋ

ㄉㄧˋ ㄐㄧㄡˇ ㄎㄜˋ　ㄎㄢˋ ㄊㄨˊ ㄕㄨㄛ ㄏㄨㄚˋ

ㄉㄧˋ ㄐㄧㄡˇ ㄎㄜˋ　ㄇㄧˋ ㄈㄥ ㄏㄢˊ ㄏㄨˊ ㄉㄧㄝˊ

ㄅㄛˊ ˙ㄅㄛ ㄕㄡˇ ㄕㄤˋ

ㄋㄚˊ ㄧˋ ㄉㄨㄛˇ ㄏㄨㄚ

ㄏㄨˊ ㄉㄧㄝˊ ㄈㄟ ㄌㄞˊ ˙ㄌㄜ

ㄇㄧˋ ㄈㄥ ㄧㄝˇ ㄈㄟ ㄌㄞˊ ˙ㄌㄜ

ㄓㄣ ㄧㄡˇ ㄑㄩˋ

ㄉㄧˋ ㄐㄧㄡˇ ㄎㄜˋ　ㄇㄧˋ ㄈㄥˊ ㄏㄢˋ ㄏㄨˊ ㄉㄧㄝˊ

ㄈ				
ㄛˊ	ㄅㄛˊ	ㄆㄛˊ	ㄇㄛˊ	ㄈㄛˊ
ㄝˊ	ㄧㄝˊ	ㄉㄧㄝˊ		
ㄥ	ㄅㄥ	ㄆㄥ	ㄇㄥ	ㄈㄥ
ㄨㄚ	ㄏㄨㄚ	ㄍㄨㄚ		

ㄅ ㄆ ㄇ ㄈ ㄉ ㄊ ㄋ ㄌ ㄍ ㄎ
ㄏ ㄐ ㄑ ㄒ ㄓ ㄔ ㄕ ㄖ ㄗ ㄘ
ㄙ

ㄧ ㄨ ㄩ ㄚ ㄛ ㄜ ㄝ ㄞ ㄟ ㄠ
ㄡ ㄢ ㄣ ㄤ ㄦ
ㄨㄚ

ㄉㄧˋ ㄕˊ ㄎㄜˋ　ㄎㄢˋ ㄊㄨˊ ㄕㄨㄛ ㄏㄨㄚˋ

ㄉㄧˋ ㄕˊ ㄎㄜˋ　ㄎㄢˋ ㄊㄨˊ ㄕㄨㄛ ㄏㄨㄚˋ

ㄉㄧˋ ㄕˊ ㄎㄜˋ ㄈㄥ ㄔㄜ

ㄈㄥ ㄔㄜ ㄈㄥ ㄔㄜ

ㄓㄣ ㄏㄠˇ ㄨㄢˊ

ㄩˋ ㄉㄠˋ ㄈㄥ ㄧˋ ㄔㄨㄟ

ㄊㄚ ㄐㄧㄡˋ ㄊㄨㄢˊ ㄊㄨㄢˊ ㄓㄨㄢˋ

ㄉㄧˋ ㄕˊ ㄎㄜˋ ㄈㄥ ㄔㄜ

ㄥ ㄩㄥ ㄨㄢˊ ㄧㄡˋ	ㄈㄥ ㄩㄥ ㄒㄩㄥ ㄊㄨㄢˊ ㄔㄨㄢˊ ㄉㄨㄢˊ ㄋㄧㄡˋ ㄌㄧㄡˋ ㄐㄧㄡˋ ㄒㄧㄡˋ
ㄅ ㄆ ㄇ ㄈ ㄉ ㄊ ㄋ ㄌ ㄍ ㄎ ㄏ ㄐ ㄑ ㄒ ㄓ ㄔ ㄕ ㄖ ㄗ ㄘ ㄙ ㄧ ㄨ ㄩ ㄚ ㄛ ㄜ ㄝ ㄞ ㄟ ㄠ ㄡ ㄢ ㄣ ㄤ ㄦ ㄧㄡ ㄨㄚ ㄨㄢ ㄩㄥ	

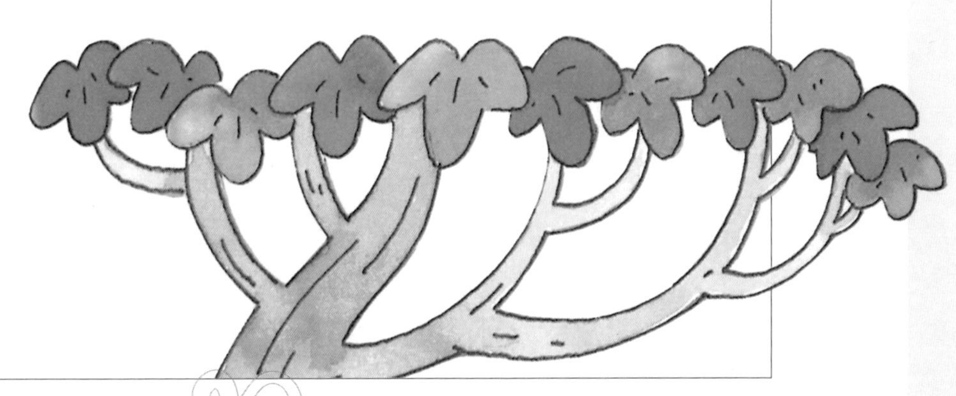

練ㄌㄧㄢˋ 習ㄒㄧˊ 五ㄨˇ

拼ㄆㄧㄣ 音ㄧㄣ

ㄧ	ㄧㄚ	ㄧㄝ	ㄧㄠ	ㄧㄣ	ㄧㄥ
ㄨ	ㄨㄚ	ㄨㄛ	ㄨㄞ	ㄨㄣ	ㄨㄥ
ㄩ	ㄩㄝ	ㄩㄢ	ㄩㄣ	ㄩㄥ	
ㄧ	ㄧㄚˋ	ㄧㄝˋ	ㄧㄠˋ	ㄧㄣˋ	ㄧㄥˋ
ㄨ	ㄨㄚˋ	ㄨㄛˋ	ㄨㄞˋ	ㄨㄣˋ	ㄨㄥˋ
ㄩ	ㄩㄝˋ	ㄩㄢˋ	ㄩㄣˋ	ㄩㄥˋ	
ㄧ	ㄧㄚˊ	ㄧㄝˊ	ㄧㄠˊ	ㄧㄣˊ	ㄧㄥˊ
ㄨ	ㄨㄚˊ	ㄨㄢˊ	ㄨㄣˊ	ㄨㄤˊ	
ㄩ	ㄩㄢˊ	ㄩㄥˊ			
ㄧ	ㄧㄚˇ	ㄧㄝˇ	ㄧㄢˇ	ㄧㄣˇ	ㄧㄥˇ
ㄨ	ㄨㄚˇ	ㄨㄛˇ	ㄨㄟˇ	ㄨㄣˇ	ㄨㄥˇ
ㄩ	ㄩㄢˇ	ㄩㄣˇ	ㄩㄥˇ		

練ㄌㄧㄢˋ 習ㄒㄧˊ 五ㄨˇ

ㄉㄨˊ ㄧˋ ㄉㄨˊ

ㄨㄛˇ	ㄩˋ	ㄉㄠˋ	ㄧˊ	˙ㄍㄜ	ㄒㄧㄠˇ	ㄆㄥˊ	ㄧㄡˇ					
ㄨㄛˇ	ㄎㄢˋ	ㄐㄧㄢˋ	ㄧˋ	ㄉㄨㄛˇ	ㄉㄚˋ	ㄅㄞˊ	ㄏㄨㄚ					
ㄨㄛˇ	ㄧㄡˇ	ㄧˊ	˙ㄍㄜ	ㄈㄥ	ㄔㄜ		ㄈㄥ	ㄔㄜ	ㄏㄨㄟˋ	ㄓㄨㄢˋ		
ㄨㄛˇ	ㄧㄡˇ	ㄧˋ	ㄆㄧ	ㄇㄨˋ	ㄇㄚˇ		ㄇㄨˋ	ㄇㄚˇ	ㄏㄨㄟˋ	ㄧㄠˊ		
ㄨㄛˇ	ㄎㄢˋ	ㄐㄧㄢˋ	ㄧˋ	ㄓ	ㄏㄨˊ	ㄉㄧㄝˊ	ㄏㄢˋ	ㄧˋ	ㄓ	ㄇㄧˋ	ㄈㄥ	
ㄨㄛˇ	ㄎㄢˋ	ㄐㄧㄢˋ	ㄧˊ	ㄨㄟˋ	ㄌㄠˇ	ㄕ	ㄏㄢˋ	ㄐㄧˇ	˙ㄍㄜ	ㄒㄧㄠˇ	ㄆㄥˊ	ㄧㄡˇ

ㄉㄧˋ ㄕˊ ㄧ ㄎㄜˋ　ㄎㄢˋ ㄊㄨˊ ㄗㄨㄛ ㄏㄨㄚˋ

ㄉㄧˋ ㄕˊ ㄧ ㄎㄜˋ　ㄎㄢˋ ㄊㄨˊ ㄕㄨㄛ ㄏㄨㄚˋ

ㄉㄧˋ ㄕˊ ㄧ ㄎㄜˋ　ㄖㄣˊ ㄅㄧˇ ㄕㄢ ㄍㄠ

ㄧㄝˊ ˙ㄧㄝ ㄗㄞˋ ㄕㄢ ㄒㄧㄚˋ

ㄕㄢ ㄅㄧˇ ㄖㄣˊ ㄍㄠ

ㄧㄝˊ ˙ㄧㄝ ㄗㄡˇ ㄉㄠˋ ㄕㄢ ㄉㄧㄥˇ

ㄖㄣˊ ㄅㄧˇ ㄕㄢ ㄍㄠ

ㄉㄧˋ ㄕˊ ㄧ ㄎㄜˋ　ㄖㄣˊ ㄅㄧˇ ㄕㄢ ㄍㄠ

ㄞˋ	ㄗㄞˋ	ㄨㄞˋ	
ㄨㄞˋ	ㄍㄨㄞˋ	ㄎㄨㄞˋ	ㄏㄨㄞˋ
ㄧㄝˊ	ㄅㄧㄝˊ	ㄉㄧㄝˊ	
ㄧㄚˋ	ㄒㄧㄚˋ	ㄐㄧㄚˋ	ㄑㄧㄚˋ
ㄧㄥˇ	ㄉㄧㄥˇ	ㄅㄧㄥˇ	ㄒㄧㄥˇ

ㄅ ㄆ ㄇ ㄈ ㄉ ㄊ ㄋ ㄌ ㄍ ㄎ

ㄏ ㄐ ㄑ ㄒ ㄓ ㄔ ㄕ ㄖ ㄗ ㄘ

ㄙ

ㄧ ㄨ ㄩ ㄚ ㄛ ㄜ ㄝ ㄞ ㄟ ㄠ

ㄡ ㄢ ㄣ ㄤ ㄦ

ㄧㄚ ㄧㄝ ㄧㄡ ㄧㄥ

ㄨㄚ ㄨㄞ ㄨㄢ

ㄩㄥ

ㄉㄧˋ ㄕˊ ㄦˋ ㄎㄜˋ　ㄎㄢˋ ㄊㄨˊ ㄕㄨㄛ ㄏㄨㄚˋ

ㄉㄧˋ ㄕˊ ㄦˋ ㄎㄜˋ　ㄎㄢˋ ㄊㄨˊ ㄕㄨㄛ ㄏㄨㄚˋ

ㄉㄧˋ ㄕˊ ㄦˋ ㄎㄜˋ　ㄇㄧˊ ㄌㄜˋ ㄈㄛˊ

ㄇㄧㄠˋ　ㄌㄧˇ　ㄧㄡˇ　˙ㄍㄜ　ㄇㄧˊ　ㄌㄜˋ　ㄈㄛˊ

ㄉㄚˋ　ㄉㄨˋ　ㄆㄧˊ　ㄒㄧㄠˋ　ㄒㄧ　ㄒㄧ

ㄨㄛˇ　ㄒㄧㄤˋ　ㄊㄚ　ㄒㄧㄥˊ　˙ㄍㄜ　ㄌㄧˇ

ㄉㄧˋ ㄕˊ ㄦˋ ㄎㄜˋ　ㄇㄧˊ ㄌㄜˋ ㄈㄛˊ

ㄨㄛˇ	ㄉㄨㄛˇ	ㄍㄨㄛˇ	ㄊㄨㄛˇ
ㄧㄤˋ	ㄐㄧㄤˋ	ㄑㄧㄤˋ	ㄒㄧㄤˋ
ㄨㄤ	ㄍㄨㄤ	ㄎㄨㄤ	ㄓㄨㄤ
ㄨㄥ	ㄍㄨㄥ	ㄎㄨㄥ	ㄓㄨㄥ

ㄅ ㄆ ㄇ ㄈ ㄉ ㄊ ㄋ ㄌ ㄍ ㄎ
ㄏ ㄐ ㄑ ㄒ ㄓ ㄔ ㄕ ㄖ ㄗ ㄘ
ㄙ

ㄧ ㄨ ㄩ ㄚ ㄛ ㄜ ㄝ ㄞ ㄟ ㄠ
ㄡ ㄢ ㄣ ㄤ ㄦ

ㄧㄚ ㄧㄝ ㄧㄡ ㄧㄤ ㄧㄥ
ㄨㄚ ㄨㄛ ㄨㄞ ㄨㄢ ㄨㄤ ㄨㄥ
ㄩㄥ

練習六

拼音

ㄨㄛˇ	ㄉㄨㄛˇ	ㄊㄨㄛˇ	ㄌㄨㄛˇ
ㄨㄚˇ	ㄍㄨㄚˇ	ㄎㄨㄚˇ	ㄕㄨㄚˇ
ㄨㄞˇ	ㄓㄨㄞˇ	ㄔㄨㄞˇ	ㄕㄨㄞˇ
ㄧㄤˋ	ㄐㄧㄤˋ	ㄑㄧㄤˋ	ㄒㄧㄤˋ
ㄧㄥˋ	ㄐㄧㄥˋ	ㄑㄧㄥˋ	ㄒㄧㄥˋ
ㄨㄤˊ	ㄎㄨㄤˊ	ㄏㄨㄤˊ	ㄔㄨㄤˊ
ㄨㄥˊ	ㄊㄨㄥˊ	ㄋㄨㄥˊ	ㄔㄨㄥˊ

ㄉㄧㄥ － ㄉㄥ	ㄓㄨㄚ － ㄓㄚ
ㄊㄧㄥ － ㄊㄥˊ	ㄉㄨㄛ －
ㄉㄧㄠ － ㄉㄠ	ㄍㄨㄤ － ㄍㄤ
ㄌㄧㄠ － ㄌㄠ	ㄎㄨㄞ － ㄎㄞ

練ㄌㄧㄢˋ 習ㄒㄧˊ 六ㄌㄧㄡˋ

一. ㄉㄨˊ ㄧˋ ㄉㄨˊ

ㄧㄝˊ ˙ㄧㄝ ㄌㄧㄝ ˙ㄌㄧㄝ

ㄏㄢˋ ㄐㄧㄝˇ ˙ㄐㄧㄝ

ㄧˋ ㄊㄨㄥˊ ㄑㄩˋ ㄆㄚˊ ㄕㄢ

ㄌㄧㄝ ˙ㄌㄧㄝ ㄑㄧㄢ ㄧㄝˊ ˙ㄧㄝ

ㄧㄝˊ ˙ㄧㄝ ㄑㄧㄢ ㄐㄧㄝˇ ˙ㄐㄧㄝ

ㄆㄚˊ ㄧˊ ㄒㄧㄚˋ

ㄒㄧㄝ ㄧˋ ㄒㄧㄝ

ㄅㄨˋ ㄓ ㄉㄠˋ

ㄧㄠˋ ㄆㄚˊ ㄐㄧˇ ㄊㄧㄢ ㄐㄧˇ ㄧㄝˋ

二. ㄎㄢˋ ㄊㄨˊ ㄉㄨˊ ㄧˋ ㄉㄨˊ ㄗㄞˋ ㄕㄨㄛ ㄕㄨㄛ ㄎㄢˋ

ㄓㄜˋ ㄕˋ ㄧˊ ㄗㄨㄛˋ ㄕㄢ

ㄨㄛˇ ㄎㄢˋ ㄐㄧㄢˋ ㄧˊ ㄗㄨㄛˋ ㄏㄣˇ ㄍㄠ ˙ㄉㄜ ㄕㄢ

ㄓㄜˋ ㄕˋ ㄧˊ ˙ㄍㄜ ㄇㄧˊ ㄌㄜˋ ㄈㄛˊ

ㄨㄛˇ ㄎㄢˋ ㄐㄧㄢˋ ㄧˊ ˙ㄍㄜ ㄏㄣˇ ㄉㄚˋ ˙ㄉㄜ ㄇㄧˊ ㄌㄜˋ ㄈㄛˊ

ㄓㄜˋ ㄕˋ ㄧˊ ˙ㄍㄜ ㄧㄤˊ ㄨㄚˊ ˙ㄨㄚ

ㄨㄛˇ ㄎㄢˋ ㄐㄧㄢˋ ㄧˊ ˙ㄍㄜ ㄏㄣˇ ㄎㄜˇ ㄞˋ ˙ㄉㄜ ㄧㄤˊ ㄨㄚˊ ˙ㄨㄚ

ㄉㄧˋ ㄕˊ ㄙㄢ ㄎㄜˋ　ㄎㄢˋ ㄊㄨˊ ㄕㄨㄛ ㄏㄨㄚˋ

ㄉㄧˋ ㄕˊ ㄙㄢ ㄎㄜˋ　ㄎㄢˋ ㄊㄨˊ ㄕㄨㄛ ㄏㄨㄚˋ

ㄉㄧˋ ㄕˊ ㄙㄢ ㄎㄜˋ　ㄗㄨㄛˋ ㄊㄧˇ ㄘㄠ

ㄧㄝˊ ˙ㄧㄝ ㄋㄞˇ ˙ㄋㄞ ㄗㄨㄛˋ ㄊㄧˇ ㄘㄠ

ㄕㄣ ㄕㄣ ㄕㄡˇ ㄨㄢ ㄨㄢ ㄧㄠ

ㄗㄡˇ ㄧˊ ㄅㄨˋ ㄊㄧㄠˋ ㄧˊ ㄊㄧㄠˋ

ㄧˋ ㄅㄧㄢ ㄊㄧㄠˋ ㄧˋ ㄅㄧㄢ ㄒㄧㄠˋ

ㄉㄧˋ ㄕˊ ㄙㄢ ㄎㄜˋ　ㄗㄨㄛˋ ㄊㄧˇ ㄘㄠ

ㄧㄠˋ	ㄊㄧㄠˋ　ㄐㄧㄠˋ　ㄆㄧㄠˋ
ㄧㄢ	ㄉㄧㄢ　ㄊㄧㄢ
ㄧㄣ	ㄅㄧㄣ　ㄆㄧㄣ　ㄐㄧㄣ　ㄑㄧㄣ
ㄨㄣ	ㄎㄨㄣ　ㄏㄨㄣ　ㄓㄨㄣ　ㄔㄨㄣ

ㄅ ㄆ ㄇ ㄈ ㄉ ㄊ ㄋ ㄌ ㄍ ㄎ

ㄏ ㄐ ㄑ ㄒ ㄓ ㄔ ㄕ ㄖ ㄗ ㄘ

ㄙ

ㄧ ㄨ ㄩ ㄚ ㄛ ㄜ ㄝ ㄞ ㄟ ㄠ

ㄡ ㄢ ㄣ ㄤ ㄦ

ㄧㄚ ㄧㄝ ㄧㄠ ㄧㄡ ㄧㄢ ㄧㄣ ㄧㄤ ㄧㄥ

ㄨㄚ ㄨㄛ ㄨㄞ ㄨㄣ ㄨㄢ ㄨㄤ ㄨㄥ

ㄩㄥ

ㄉㄧˋ ㄕˊ ㄙˋ ㄎㄜˋ　ㄎㄢˋ ㄊㄨˊ ㄕㄨㄛ ㄏㄨㄚˋ

ㄉㄧˋ ㄕˊ ㄙˋ ㄎㄜˋ ㄎㄢˋ ㄊㄨˊ ㄗㄨㄛˋ ㄏㄨㄚˋ

ㄉㄧˋ ㄕˊ ㄙˋ ㄎㄜˋ ㄎㄢˋ ㄩㄝˋ ㄌㄧㄤˋ

ㄊㄧㄢ ㄕㄤˋ ㄧㄡˇ ㄧˊ ˙ㄍㄜ ㄩㄝˋ ㄌㄧㄤˋ

ㄔˊ ㄌㄧˇ ㄧㄡˇ ㄧˊ ㄉㄨㄟˋ ㄩㄢ ㄧㄤ

ㄩㄢ ㄧㄤ ㄒㄧㄤˇ ㄧㄠˋ ㄎㄢˋ ㄩㄝˋ ㄌㄧㄤˋ

ㄩㄝˋ ㄌㄧㄤˋ ㄐㄧㄡˋ ㄉㄨㄛˇ ㄗㄞˋ ㄩㄣˊ ㄌㄧˇ

ㄩㄢ ㄧㄤ ㄕㄨㄛ

ㄩㄝˋ ㄌㄧㄤˋ ㄩㄝˋ ㄌㄧㄤˋ ㄋㄧˇ ㄗㄞˋ ㄋㄚˇ ㄌㄧˇ

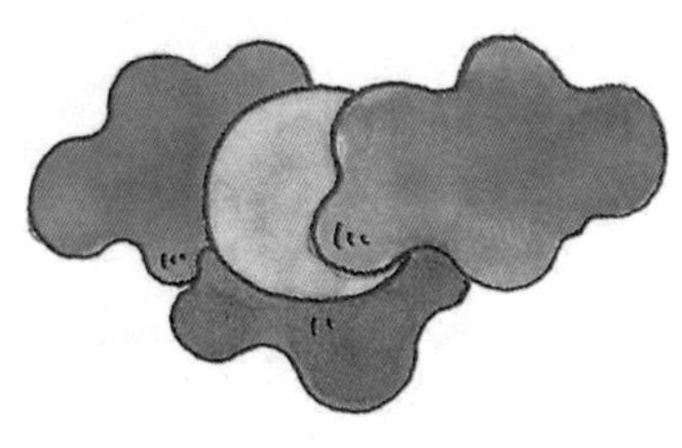

ㄉㄧˋ ㄕˊ ㄙˋ ㄎㄜˋ ㄎㄢˋ ㄩㄝˋ ㄌㄧㄤˋ

ㄨㄟˋ	ㄉㄨㄟˋ ㄊㄨㄟˋ ㄘㄨㄟˋ ㄙㄨㄟˋ
ㄩㄝˋ	ㄐㄩㄝˊ ㄑㄩㄝˋ ㄒㄩㄝˊ
ㄩㄢ	ㄐㄩㄢ ㄑㄩㄢ ㄒㄩㄢ
ㄩㄣˊ	ㄑㄩㄣˊ ㄒㄩㄣˊ

ㄅ ㄆ ㄇ ㄈ ㄉ ㄊ ㄋ ㄌ ㄍ ㄎ

ㄏ ㄐ ㄑ ㄒ ㄓ ㄔ ㄕ ㄖ ㄗ ㄘ

ㄙ

ㄧ ㄨ ㄩ ㄚ ㄛ ㄜ ㄝ ㄞ ㄟ ㄠ

ㄡ ㄢ ㄣ ㄤ ㄦ

ㄧㄚ ㄧㄝ ㄧㄠ ㄧㄡ ㄧㄢ ㄧㄣ ㄧㄤ ㄧㄥ

ㄨㄚ ㄨㄛ ㄨㄞ ㄨㄟ ㄨㄣ ㄨㄢ ㄨㄤ ㄨㄥ

ㄩㄝ ㄩㄢ ㄩㄣ ㄩㄥ

練ㄌㄧㄢˋ 習ㄒㄧˊ 七ㄑㄧ

拼ㄆㄧㄣ 音ㄧㄣ

ㄧㄢˇ	ㄐㄧㄢˇ	ㄑㄧㄢˇ	ㄒㄧㄢˇ	ㄌㄧㄢˇ
ㄧㄤˇ	ㄐㄧㄤˇ	ㄑㄧㄤˇ	ㄒㄧㄤˇ	ㄌㄧㄤˇ
ㄧㄣˋ	ㄌㄧㄣˋ	ㄐㄧㄣˋ	ㄑㄧㄣˋ	ㄒㄧㄣˋ
ㄧㄥˋ	ㄌㄧㄥˋ	ㄐㄧㄥˋ	ㄑㄧㄥˋ	ㄒㄧㄥˋ
ㄩㄣ	ㄐㄩㄣ	ㄑㄩㄣ	ㄒㄩㄣ	
ㄩㄥ	ㄐㄩㄥ	ㄑㄩㄥ	ㄒㄩㄥ	

ㄐㄧ — ㄐㄧㄢ
ㄐㄧ — ㄐㄧㄤ

ㄑㄧ — ㄑㄧㄢ
ㄑㄧ — ㄑㄧㄤ

ㄒㄧ — ㄒㄧㄢ
ㄒㄧ — ㄒㄧㄤ

ㄐㄩ — ㄐㄩㄣ
ㄐㄩ — ㄐㄩㄥ

ㄑㄩ — ㄑㄩㄣ
ㄑㄩ — ㄑㄩㄥ

ㄒㄩ — ㄒㄩㄣ
ㄒㄩ — ㄒㄩㄥ

練ㄌㄧㄢˋ習ㄒㄧˊ七ㄑㄧ

ㄉㄨˊ ㄧˋ ㄉㄨˊ

ㄗㄨㄛˋ	ㄊㄧˇ	ㄘㄠ	ㄔㄨㄟ	ㄌㄚˇ	˙ㄅㄚ
ㄆㄞ	ㄆㄧˊ	ㄑㄧㄡˊ	ㄊㄢˊ	ㄈㄥ	ㄑㄧㄣˊ
ㄊㄧ	ㄐㄧㄢˋ	˙ㄗ	ㄉㄚˇ	ㄌㄨㄛˊ	ㄍㄨˇ
ㄊㄧㄠˋ	ㄊㄧㄠˋ	ㄕㄥˊ	ㄌㄚ	ㄊㄧˊ	ㄑㄧㄣˊ

ㄊㄧㄢ	ㄕㄤˋ	ㄧㄡˇ	ㄧˊ	˙ㄍㄜ	ㄩㄝˋ	ㄌㄧㄤˋ	
ㄔˊ	ㄌㄧˇ	ㄧㄡˇ	ㄧˊ	ㄉㄨㄟˋ	ㄩㄢ	ㄧㄤ	
ㄕㄢ	ㄕㄤˋ	ㄧㄡˇ	ㄧˊ	˙ㄍㄜ	ㄇㄧˊ	ㄌㄜˋ	ㄈㄛˊ
ㄕㄢ	ㄒㄧㄚˋ	ㄧㄡˇ	ㄧˋ	ㄓ	ㄉㄚˋ	ㄍㄨㄥ	ㄐㄧ
ㄊㄧㄢˊ	ㄌㄧˇ	ㄧㄡˇ	ㄧˋ	ㄊㄡˊ	ㄕㄨㄟˇ	ㄋㄧㄡˊ	
ㄕㄨˋ	ㄒㄧㄚˋ	ㄧㄡˇ	ㄧˋ	ㄓ	ㄑㄧㄥ	ㄨㄚ	
ㄕㄨ	ㄌㄧˇ	ㄧㄡˇ	ㄧˋ	ㄓㄤ	ㄓㄠˋ	ㄆㄧㄢˋ	

本冊教材總表

第一課	爸爸媽媽早 爸爸早　媽媽早
第二課	早起做什麼 爸爸做體操 媽媽看報
第三課	吹喇叭 哥哥吹喇叭 ㄌㄧ ㄌㄧ ㄌㄚ　ㄌㄧ ㄌㄧ ㄌㄚ
第四課	唱歌跳舞 弟弟唱歌 妹妹跳舞
第五課	跳繩比賽 我跳五下 你也跳五下
第六課	小猴子 小猴子　在繩子上 走來走去　很好玩
第七課	學拍照 大家來學拍照 我拍的是一隻雞 你拍的是兩隻鴨

本冊教材總表

第八課 木頭人

一二三　三個人

什麼人　木頭人

第九課 蜜蜂和蝴蝶

伯伯手上　拿一朵花

蝴蝶飛來了

蜜蜂也飛來了

真有趣

第十課 風車

風車風車　真好玩

遇到風一吹　他就團團轉

第十一課 人比山高

爺爺在山下

山比人高

爺爺走到山頂

人比山高

第十二課 彌勒佛

廟裡有個彌勒佛

大肚皮　笑嘻嘻

我向他行個禮

本冊教材總表

第十三課　做體操

爺爺奶奶做體操

伸伸手　彎彎腰

走一步　跳一跳

一邊跳　一邊笑

第十四課　看月亮

天上有一個月亮

池裡有一對鴛鴦

鴛鴦想要看月亮

月亮就躲在雲裡

鴛鴦說

月亮月亮你在哪裡

新編華語注音符號課本

初版主編：林國樑

初版編審委員：李鍌、林良、張孝裕

初版美術設計：大南設計工作室

修訂版美術編排設計：漢世紀數位文化股份有限公司

出版機關：中華民國僑務委員會

地址：臺北市徐州路5號16樓

電話：(02)2327-2600

網址：http://www.ocac.gov.tw

出版年月：中華民國八十六年二月初版

中華民國九十四年十月二版

版(刷)次：中華民國一〇四年十二月二版十刷

電子出版品說明：本書另有電子版本，同時刊載於　全球華文網」(http://www.huayuworld.org)

電子版承製廠商：漢世紀數位文化股份有限公司

定價：新臺幣75元

展售處：

＊國家書店松江門市

地址：臺北市松江路209號，電話：02-2518-0207，www.govbooks.com.tw

＊五南文化廣場

地址：臺中市中山路6號，電話：04-2226-0330，www.wunanbooks.com.tw

承印廠商：彩之坊科技股份有限公司

GPN：1008901182

ISBN：978-957-02-5640-6